喜羊羊与灰太狼

Pleasant Goat and Big Big Wolf

9 穿缝术

童趣出版有限公司编　　　人民邮电出版社出版

北京

主要人物介绍

喜羊羊： 族群里跑得最快的羊，乐观、好动，永远带着微笑。由于他每次都能识破灰太狼的阴谋诡计，拯救了羊羊族群的生命，是羊氏部落的小英雄。

美羊羊： 美女羊，心灵手巧。她还是营养学家、美容师、模特儿……一切与"美"有关的事她都精通，是大家跟风模仿的对象。

懒羊羊： 最聪明的小肥羊之一，最喜欢的运动是睡觉。他聪明机智，而且临危不乱，总是一副大智若愚、举重若轻的样子。

沸羊羊： 最健壮的羊，也是最鲁莽的一只羊。经常是一副很酷的样子，总爱持反对意见，以为自己英伟不凡、天下无敌，其实很多时候都无能为力。

慢羊羊： 羊村村长，最年长的羊，博览群书，平时最爱搞小发明，是个乌龙发明家，但危急时又能派上用场。动作总是慢吞吞的，常把身旁的羊急死。

暖羊羊： 暖羊羊的心肠跟她的名字一样，充满阳光和温暖。重量级的身躯和无比善良的性格展现出来的魅力，总是让人大跌眼镜。

灰太狼： 住在青青草原对面的森林里，是个"聪明"又倒霉的坏蛋，爱钻研抓羊技巧，一有机会就去骚扰羊部落。他永远想偷羊吃，却永远被羊羊们打败。

红太狼： 灰太狼的老婆，贪婪、虚荣、忌妒、狠毒。虽然长得一般却总打扮得豪华高贵，自以为天下最美。总是逼着灰太狼去抓羊，自己却坐享其成。

冬天到了，大雪纷飞……

还是屋里暖和。

羊羊们的食堂

冬天应该多吃点。

吃饭了——

唉！

怎么又是干草啊？

不吃！

不许浪费粮食。

谁要再浪费粮食，统统罚站！

想想夏天的时候…

好美啊！

这是真的吗？

哇！

青草！

好美味的青草！

扑通！

啊？青草怎么又到那边去了？

我扑！

扑通！

懒羊羊，你怎么摔倒了？

青草……

呵呵！

加油！加油……

他在干吗？

天哪！

啊！

接住！

不客气。

吁——谢谢你，暖羊羊。

还好没事，赶紧进屋。

懒羊羊，你是来放哨的，怎么连家都搬来了？

天气这么冷，我不把房子搬过来，怎么睡得舒服？

晕!

你们有没有带吃的？

没有。

没有。

奇怪，我明明闻到了食物的味道。

好香啊！

啊!

咚!

懒羊羊，你可要小心一点……

懒羊羊，别吃！

味道好极了！

说不定有毒呢！快吐出来……

真困啊！

咦？又有一个罐头。

喜羊羊他们不在。

哇噻，这么大！

啵！天上掉下个大罐头。

贪吃的懒羊羊，你跑不掉了！

小胖子，进去吧！

哈，回家了！

门怎么开了？

懒羊羊……

懒羊羊不在，会不会是出了什么事啊？

今天太难忘了！

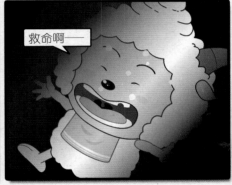

救命啊——

哎呀，歇会儿。

鲜草罐头

小胖子，你别吵了！

咳咳，憋死我了！
喜羊羊救我啊……

不许再吵了，他们听不到的。

懒羊羊说起了快板。

大坏狼，大笨狼

永远斗不过喜羊羊

还要服侍红太狼

怒！

我看你是不
想活了！

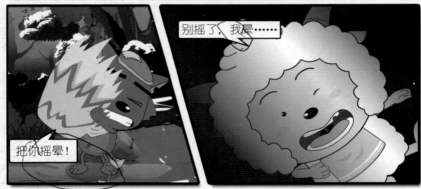

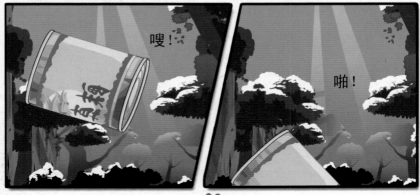

没动静了。还打不开了，得去买开罐头的工具。

让你得意！看你还吵不吵？！

果然是灰太狼在搞鬼，我得回村里找帮手。

这懒羊羊也太……太沉了。

哎哟，我得再歇……歇会儿。

罐头刀——谁要
罐头刀——

请问您要不要买
开罐头的刀？

好像是喜羊羊？

喜羊羊！我就知道是你！

啊？你这么聪明。

你别跑——

喜羊羊故意露馅引开灰太狼。

刷！

美羊羊，你去放哨。暖羊羊，我们去救懒羊羊。

嘿哟！

呵呵，好多的罐头。

灰太狼回来了！

依照计划行事。

赶快拉走。

可恶的喜羊羊，又让他跑了！

还有这只懒羊羊垫底，老婆今天一定会夸奖我的……

我的罐头呢？

怎么有这么多的罐头？懒羊羊在哪个里面啊？

原来在这里，把它放下！

嘿哟！懒羊羊，你太重了。

对不起懒羊羊，我救不了你了。

算你听话！

走，回家了。

灰太狼上当了。

耶！

太棒了，真正的懒羊羊就在我们的木板车上。

锵！

啊！

我有办法了！

亲爱的羊羊们，快来吃鲜草蛋糕啦——

咔嗒！

在哪儿呢？

嗵！

狼堡

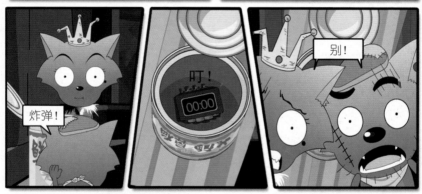

真壮观呀——

各位同学，吃饭啦！

村长，今天吃什么？

今天改善伙食，吃鲜草罐头……

鲜草罐头？！

哇！我再也不要吃罐头啦……

完

穿縫术

这是一个宁静的夜晚⋯⋯⋯⋯

灰太狼出去了这么多天还没个消息。说是想去学技术，这个大笨蛋学得会吗？

你半夜回来，不会先敲门吗？想吓死我呀！

红太狼，我已经学成归来。老婆你看！

这不是你小时候的补考证吗？

拿错了。

太晃眼了。

是这张。

那当然，请看看我学的本领！

你真的学会了穿缝术？

米西，米西，滑不拉几。

如果你不拉几，我就不能米西。

呛呛！

哈哈！我变成了一张薄薄的纸！

咻！

看好了！

我又进来了。

我学得怎么样？

大半夜的，让我去哪儿啊？

你太帅了。那你赶快走吧！

你学会了穿缝术，就要趁热打铁，快点抓羊去！

小羊们，你们就乖乖地让我吃进肚子里吧！

灰太狼蹑手蹑脚地来到羊村铁栅栏前。

米西，米西，滑不拉几。

如果你不拉几，我就不能米西。

哈哈！

变！

嗖！

随便进啦！

美羊羊，那我先回去了，自己值班的时候小心点。

我会小心的。

沸羊羊，明天见。

哈哈……抓你也行啊。

小肥羊，你要乖乖的哦！

现在想想，抓羊真容易呀！

呛呛！

变！

进进！

出出！

进出自如！

美羊羊还在里面。

怎么让她也出来呢？

灰太狼，开门不用那么费力的，按钮就在那儿。红色的是机关。

绿色的是开门的按钮。

你当我是白痴吗？

我好心好意告诉你，你却不领情！

他肯定是骗我的，绿色按钮一定是机关。

哼，想骗我，没门！

嘀！

咔！

啊？！ 你……

我跟你说过了，红色按钮是机关。那你就好好享受旅程吧！

嘀嘀！

这是什么？

轰！

砰！

我不会放过你们的！

看过这段录像后，大家有什么看法？

我没有从监视器上看出来灰太狼是怎么进来的。

这就奇怪了。

我们看你才奇怪呢！

我又怎么了？

哦！我今天吃了咖啡青草。咖啡提神，所以我精神得很！

这个时候你应该在睡觉才对。

我们言归正传，今后要在铁栅栏前多布置些陷阱，阻挡灰太狼。

我觉得应该在岗楼上放红外线探测仪，探测灰太狼的行踪。

你说的是哪个红外线探测仪？

就是您上次发明的，能利用动物体温探测动物具体位置的那个！村长。

但是……我忘记放哪儿了。

懒羊羊，你在这儿看着，我和美羊羊去吃午饭，一会儿来替你。

好！青草多给我留点。

还是先睡一觉吧。

哈哈，睡着了。

米西，米西，滑不拉几。

如果你不拉几，我就不能米西。

我来啦!

懒羊羊,你死定了!

哎哟!

啊呼……

啪!

好你个懒羊羊,敢戏弄我!

对了,红太狼让我教小羊也学会穿缝术,方便带出来!

扑通!

啊!灰太狼,你是怎么进来的?

米西，米西，滑不拉几。如果你不拉几，我就不能米西。

看见了吗？我就是这样变身进来的。

哇！好厉害。

那我来教你吧！

嘻！

他哪会这么好心教我，我得想办法拖延时间，让大家来救我。

快跟我说。米西，米西，滑不拉几。

快跟我说。米西，米西，滑不拉几。

不对，不对，是米西，米西，滑不拉几。

不对，不对，是米西，米西，滑不拉几。

什么拉稀，拉几？让我说这么恶心的话，我午饭还没吃呢。

你再捣乱，我就吃了你。快说……如果你不拉几，我就不能米西。

唉……他可真笨啊！

抓住灰太狼，别让他跑了。

我先溜了。西米，不对，好像是米西，西米……

他们怎么这么快就来了？

被他一搅和，我都记不清楚了。

灰太狼！看拳！

这是哪儿？

别着急，我们先玩个游戏吧！这个游戏叫"砸地鼠"。

快放开我！

嘀！

砸地鼠？！

咻！

咚！

乒！

我的妈呀！

啊!

轰!

这个砸地鼠游戏可以练反应能力。你好好享受吧!

不要玩了。

嗖!

咚!

嗖!

砰！

哎呀！

灰太狼的家

准备好烤架，灰太狼有了真本事，一定能抓回来羊的。

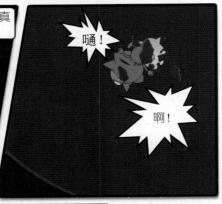

嗵！

啊！

好痛，好痛！

红太狼，我教小羊学穿缝术了，可那羊比我还蠢，口诀背得颠三倒四。

然后呢？

我也记不清楚秘诀了······

我不生气!

老婆……不要生气!

我要亲自学穿缝术去抓羊。

这是穿缝术的学习笔记。

学习这门课程,首先要心平气和。

刷刷刷!

穿缝术的秘诀记在哪儿呢?

这是……

在后面,后面写着呢!

你什么意思?

你竟然在背后骂我，
想造反吗？！

这……

啊——

大肥羊学校

事情就是这样的。

原来是这样。灰太狼
学会了穿缝之术。

44

呵呵，再厉害我们也会制服他。

喜羊羊，你的意思是——想到办法了？

因为他变成纸片进来，必须撞到东西才会变回原形。这样，我们就好对付了。

怪不得他进来的时候我们都不知道。好厉害！

灰太狼，你找到了没有？

找到了，在这边有一个缝隙。

我们怎么跟耗子一样，还必须得从缝隙里钻进去。

你要是从大门口进，不就让他们发现了吗？一定要撞到东西才可以变回原形。

45

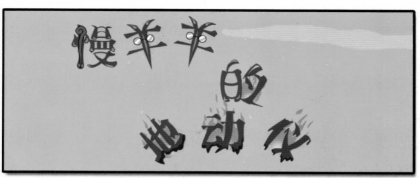

刷！

村长，"地动仪"是什么东西啊？

听名字就知道啦！"地动仪"就是能在地面上到处乱动的仪器。

原来是这样啊！沸羊羊懂得真多啊。

错！"地动仪"是用来监测地震的仪器。只要大地有震动，"地动仪"就会预报！

嗖!

哈哈，发射炮弹!

继续!

等我炸平了羊村，把你们这些小肥羊全部抓来吃掉!

这么多炸弹?!

呀!!!

砰!!!

哈哈!

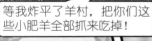

原来又是灰太狼在捣鬼!

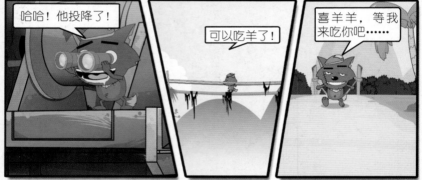

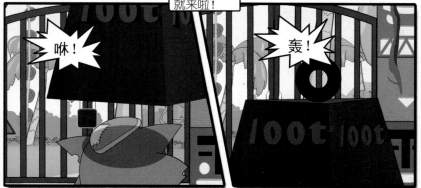

是啊！就是利用巨大的自然力量！

超乎常规？

请看！

这就是我的新发明"地震仪"！

这有什么用？

它的钻头会以每秒钟十万次的速度穿透地层，能产生强烈的地震，到时候，嘿嘿……

到时候我把门打开……

把小肥羊们全吃掉！

这些都是因为灰太狼随意使用"地震仪"，改变了地质结构造成的！

火山喷发就是地下的岩浆在压力的作用下喷发出来，浓烟和飞石能够飞到几千米的高空！

是不是就像放焰火一样啊？一定很有意思！

村长，什么是火山喷发？

真是胡闹。地震和火山喷发是自然界非常可怕的灾难。

砰！

大家不能大意，要做好充分的准备······

轰！

咦？羊羊们到哪里去了？

你们这是干什么？

村长，大家正在收拾东西，我们还是赶快离开这里吧！

我还没有说完。这次火山喷发的地点虽然离羊村不远，但是绝对不会威胁到羊村。

太好了！

啪唧！

讨厌！！！

我心爱的闹钟！

我终于醒了，老婆，早啊！

你还我的闹钟！

不就是一个闹钟吗？！

你还我的闹钟！

现在播报紧急新闻！不管你正在吃饭、睡觉，还是夫妻吵架……

森林电台

紧急新闻

台词

荣誉之战

狼堡······

讨厌的灰太狼，出去了这么多天，也该回来了······

红太狼，我回来了！

咚咚！

怎么这么久才回来？

我的亲戚太热情了，再加上路也不好走。

这次到你亲戚家，可是去学抓羊本领的啊！

本领嘛······

你看！这个小球里装了遥控装置……

我不信！

我只要按动遥控器，球就会滚向球洞，我就赢球了！

咱们可以试验一下嘛！

先钻个球洞。

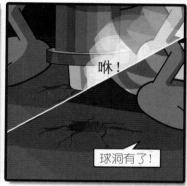

咻！

球洞有了！

看你还能玩出什么花招来！

开球！

进球喽！

嗖！

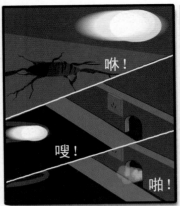

咻！

嗖！

啪！

真的进洞了，进了老鼠洞。

咳咳……

咻！

骨碌！

铛！

怎么样？进了吧！

什么怎么样？！你凿坏了我的地板！

这可是一项有趣的运动。

这么多天，你只学会了这个？

村长，没事的。

灰太狼诡计多端，你看这球……

他在球里安装了遥控装置，可以控制球的方向。

怪不得他要我用他的球。他可以使诈，我也可以找帮手的！

狼羊高尔夫球大赛就要开始了……

咻！

喜羊羊，你准备好了吗？

当然准备好了。不过，这场比赛由美羊羊和你比试！

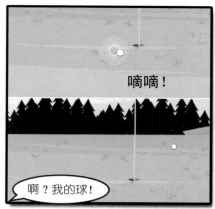

嘀嘀！

啊？我的球！

美羊羊，这一杆你输定了！

嗖！

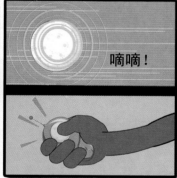

嘀嘀！

看！我的好球！

哔！

收到！

走！

成！

什么？这怎么可能？

该死的老鼠！

你坏了我的好事！

美羊羊，该你了！

美羊羊加油！

没问题。

耶！进洞！

狼羊高尔夫球大赛
记 分 牌

0 : 2

怎么回事？！又是那只老鼠！

第二局美羊羊获胜！决赛马上开始！

决胜

看来，真正的比赛是不行的……

啪！

使劲！

嘿嘿，我帮你使劲。

我首先要感谢喜羊羊、大象裁判和老鼠兄弟。

耶！美羊羊好棒啊！

等等！

喜羊羊！比赛还没有结束，我要求重赛！

灰太狼，你在球里安装了遥控装置，属于违规。我裁定，你输了！

好！我不比赛，我吃羊！

啊？！

我要吃了你们！

你敢!

你管闲事?

敢咬我?你不想活了?

嗷!

啊?

走开!

嗷

咻!

啊——

好球!

完

咚!!!